*A mi madre*

Paul Hoppe nació en Polonia y se crió en el sur de
Alemania, donde estudió Diseño Gráfico y Bellas Artes.
Trabajó como ilustrador en Alemania e Inglaterra, y
participó en varios proyectos de animación, publicidad
y series animadas. Se le concedió una beca para cursar
un máster en la School of Visual Arts en Nueva York, y
le gustó tanto la ciudad que decidió quedarse. Su trabajo
ha aparecido en varios medios norteamericanos, como
The New York Times y The New Yorker. Este es su
primer álbum ilustrado infantil.

Título original: *Hat*
Publicado por vez primera por la editorial Bloomsbury USA
Children's Books, Nueva York, el año 2009.
Autor e ilustrador: Paul Hoppe

Copyright © 2009 Paul Hoppe

Copyright de esta edición: © Editorial Flamboyant, S. L., 2011
Copyright de la traducción: © Helena Martín, 2011

Corrección de textos: Raúl Alonso Alemany
Preimpresión: Noemí Maroto (maquetación)
             Celia Conde (caligrafía del título)

Primera edición: marzo 2011
ISBN: 978-84-937825-6-6
Impreso en Tlačiarne BB, Eslovaquia

www.editorialflamboyant.com

# SOMBRERO

Paul Hoppe

 editorial
flamboyant

Un día Henry encontró un sombrero.

—¿Puedo quedarme a Sombrero?

¡Es genial!

# Sombrero protege del sol.

Sombrero resguarda de la lluvia.

Sombrero es perfecto para cazar ratones

y hacer trucos
de magia.

Sombrero puede ser un barco, para navegar muy lejos,

o un trineo, para deslizarse por la nieve.

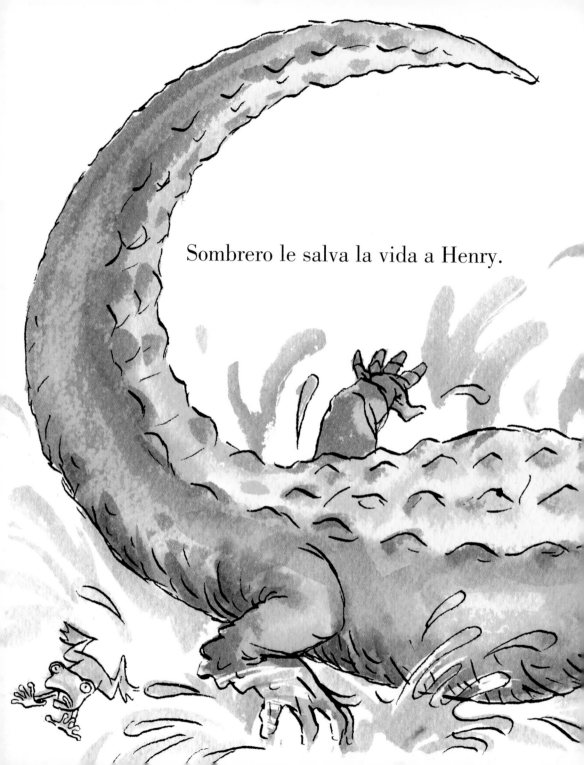

Sombrero le salva la vida a Henry.

Sombrero lo convierte en una estrella.

¡Sombrero lo convierte en una superestrella!

—Pero, Henry, ¿y si otra persona

necesita este sombrero?

Una bailarina en el escenario.

Un explorador en África.

Un niño en una tormenta
de nieve.

Un náufrago en una isla.

Un mago sin trucos.

¡Una abuelita aterrorizada!

Una chica con un vestido empapado.

Un socorrista en la playa.

Henry pensó en cada
uno de ellos…

Esta primera edición de *Sombrero* se imprimió
y encuadernó en el mes de febrero de 2011 en la imprenta
Tlaĉiarne BB, en Eslovaquia.